우리는
봄에 씨를 심는 마음으로
모든 어린이에게
밝은 미래를 준비하는 행복한 꿈을 심습니다.
그래서
우리는
이 세상에서 가장 좋은 것을 주고 싶은
간절한 마음으로 일합니다.

· 프뢰벨 가족 일동 ·

서울대학교 동화교육연구팀
서울대학교 생활과학대학 아동가족학과 교수와 석·박사를 중심으로
동화를 연구하고 있다.

김세현
일상적인 이야기를 수묵으로 담백하게 그려 내는 어린이 책 일러스트레이터이다.
그린 책으로 〈열 평 아이들〉, 〈만년 샤쓰〉, 〈첫눈 오는 날의 약속〉,
〈소리꾼 박동진〉, 〈유관순〉, 〈장영실〉 등이 있다.

펴낸 곳 프뢰벨미디어(주)/펴낸이 이재성/출판등록 제16-1163호/주소 경기도 파주시 회동길 446
대표전화 1566-0800/팩스 3450-4010/고객상담실 080-010-4000/홈페이지 www.froebel.co.kr/E-mail:master@froebel.co.kr 비매품
ISBN 978-89-409-1559-2 74800

사람이 된 허수아비

글/서울대학교 동화교육연구팀 그림/김세현

프뢰벨

옛날, 옹진골 옹당촌에 심술쟁이 구두쇠 영감으로 소문난
옹고집이 살고 있었습니다.
하루는 옹고집의 집에 동자승*이 찾아와 염불을 외웠습니다.
"나무아미타불 관세음보살……."
마침 마당에 있던 옹고집이 이 소리를 듣고 대문 밖으로 나왔습니다.
"옹고집님, 부처님께 시주*하십시오."
동자승의 말에 옹고집이 불같이 화를 내며 소리쳤습니다.
"에끼, 이 녀석! 썩 물러가거라! 부처님이 나한테 뭘 보태 주었다고,
툭하면 찾아와서 내 것을 내놓으라고 하느냐!"
옹고집은 동자승을 기다란 담뱃대로 마구 때리며 쫓아 냈습니다.

*동자승 : 나이 어린 스님을 일컫는 말.
*시주 : 스님이나 절에 물건을 베푸는 일.

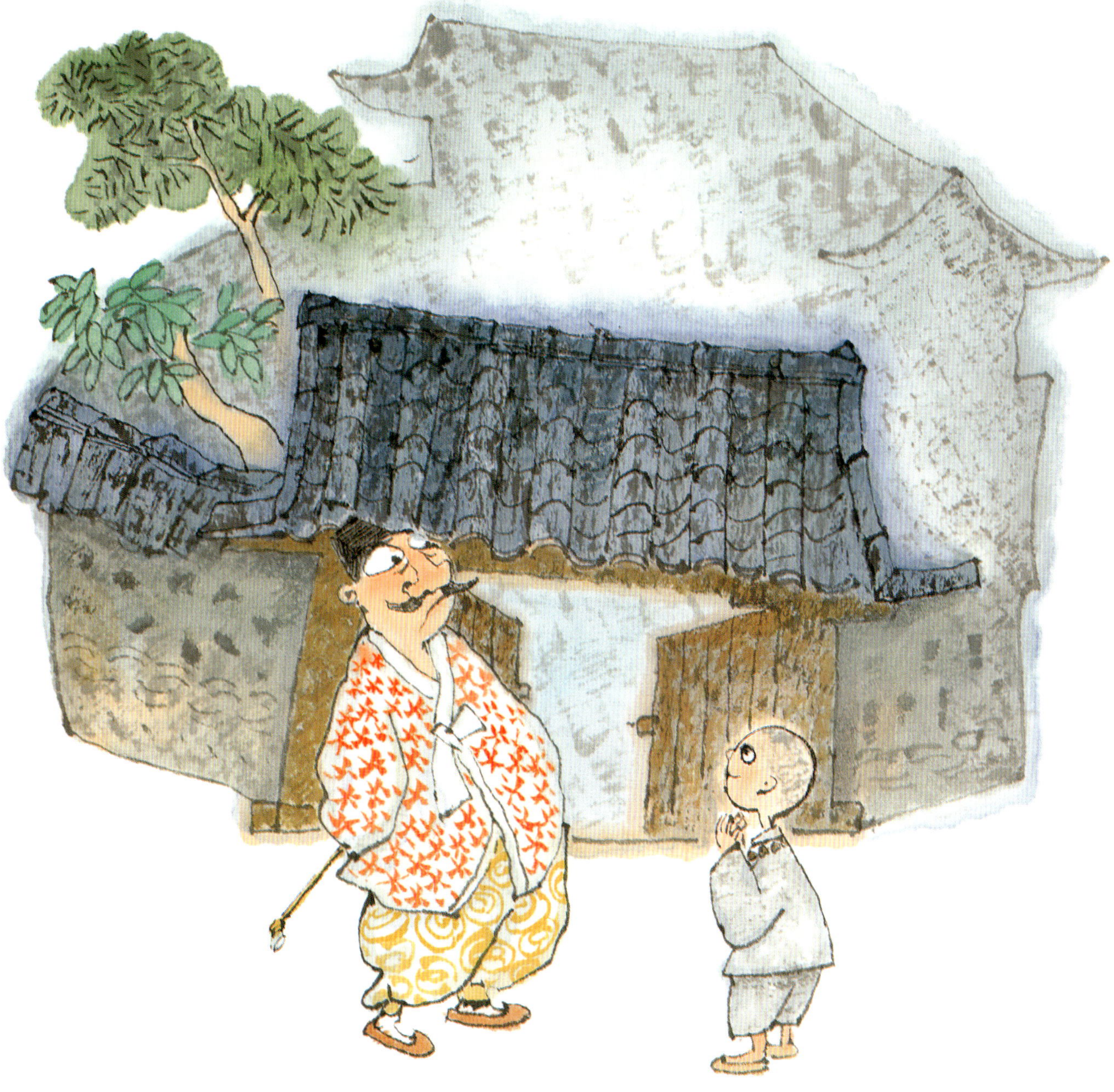

옹고집에게 혼이 난 동자승은 엉엉 울면서 절로 돌아갔습니다.
절에 있던 스님들이 깜짝 놀라 동자승에게 물었습니다.
"아니, 동자야, 도대체 무슨 일이냐?"
"누구에게 매라도 맞은 것이냐?"
동자승이 울먹이며 대답했습니다.
"옹진골 옹당촌에 갔다가 옹고집에게 매를 맞았습니다."
스님들은 동자승의 이야기를 큰스님에게 알렸습니다.
"큰스님, 옹고집의 못된 심보를 고쳐 주십시오."
스님들의 성화에 큰스님이 천천히 입을 열었습니다.
"음……, 옹고집이 어떤 사람인지 내가 직접 가서 알아봐야겠구나."

5

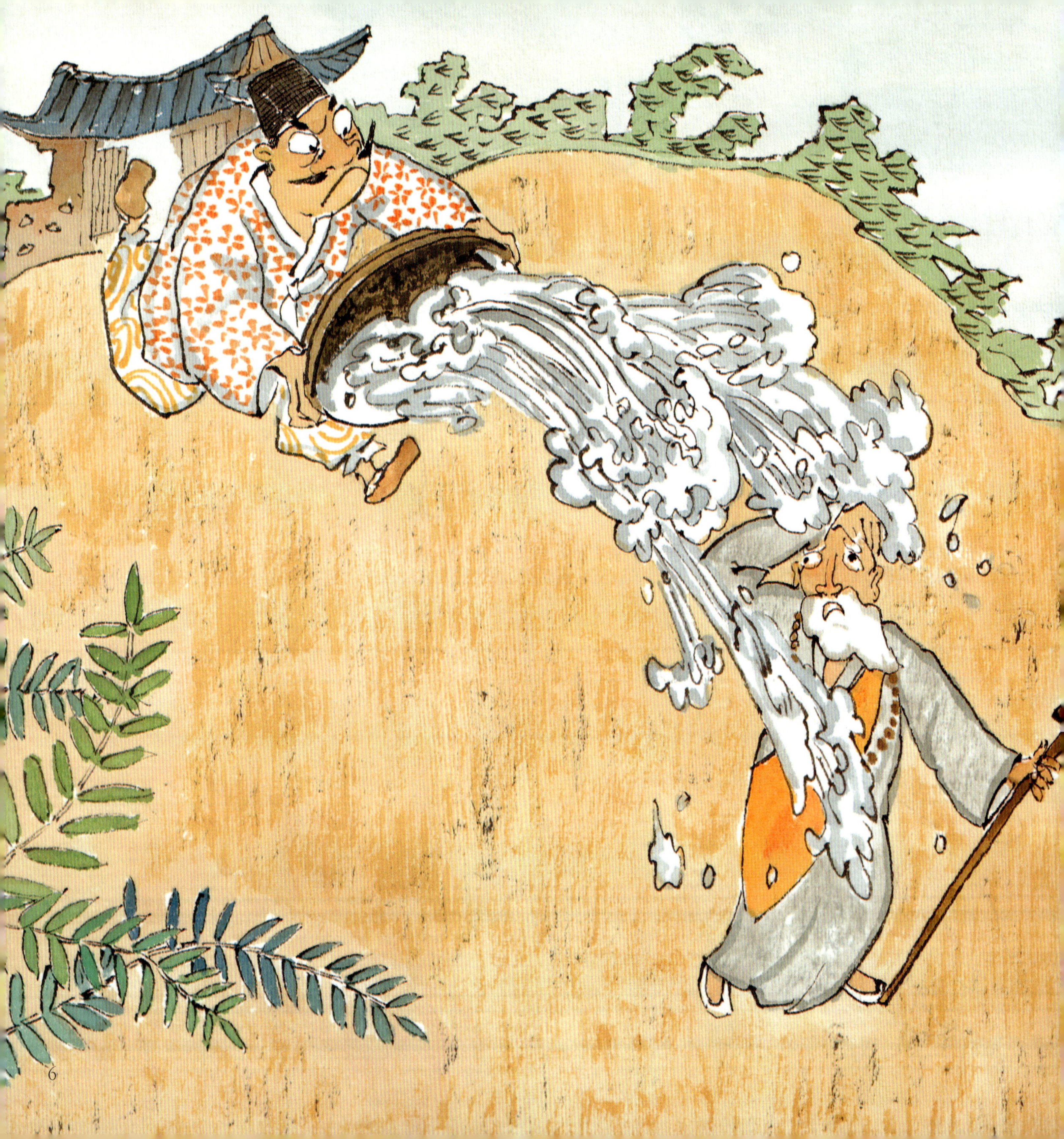

다음 날, 큰스님은 옹고집을 찾아갔습니다.
"나무아미타불 관세음보살……. 부처님께 시주하십시오."
"체, 어제는 어린 녀석이 오더니, 오늘은 늙은 중이 왔구나.
시주는 무슨 시주! 옜다, 물이나 먹어라!"
옹고집은 큰스님에게 구정물을 끼얹으며 소리쳤습니다.
큰스님은 구정물을 뚝뚝 흘리며 절로 돌아왔습니다.
"옹고집을 그대로 두면 여러 사람이 해를 입겠구나.
동자야, 짚단으로 허수아비를 만들어 오너라!"
동자승은 짚단을 묶어 허수아비를 만든 다음
큰스님에게 가지고 갔습니다.

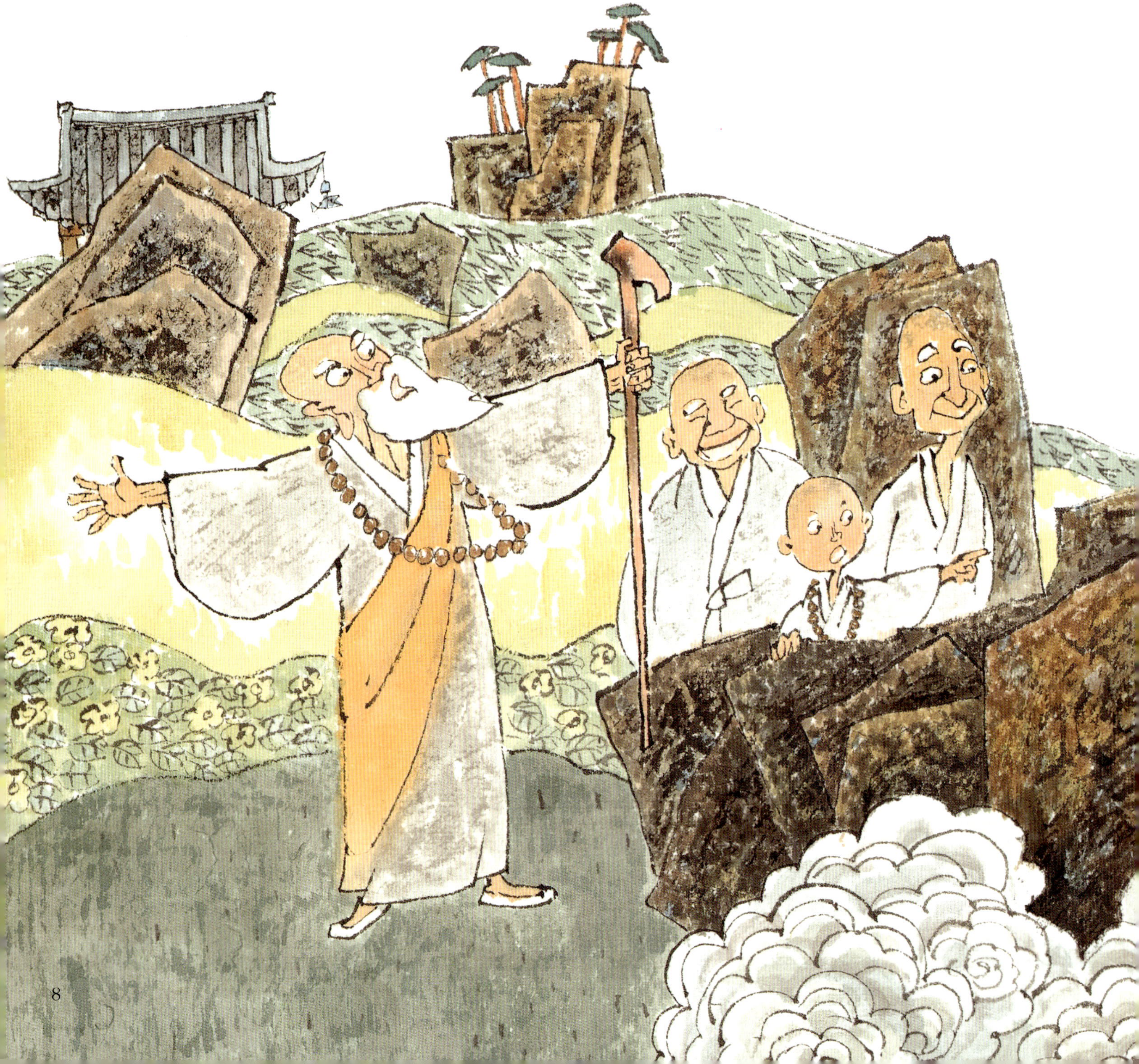

"허수아비야, 옹고집으로 변해라!"
큰스님이 주문을 외우자,
허수아비는 놀랍게도 옹고집과 똑같은 모습으로 변했습니다.
심술이 가득한 얼굴로 뒷짐을 지고 서 있는 모습이
정말 누가 봐도 틀림없는 옹고집이었습니다.
"큰스님! 제가 가서 옹고집을 혼내 주겠습니다."
옹고집이 된 허수아비는 큰스님에게 인사를 하고 절을 떠났습니다.

画粘有長江万里

가짜 옹고집은 진짜 옹고집이 없는 틈을 타 안방에 들어가 앉았습니다.

'심술쟁이 옹고집 영감! 혼쭐을 내 줄 테다!'

가짜 옹고집은 단단히 벼르며 진짜 옹고집이 나타나기만을 기다렸습니다.

조금 뒤 진짜 옹고집이 방문을 열고 들어오려다

가짜 옹고집을 보고는 깜짝 놀라 소리쳤습니다.

"아니, 너는 누구냐?"

"그러는 너는 누구냐? 주인 허락도 없이 남의 집에 들어오다니! 냉큼 나가거라!"

가짜 옹고집이 버럭 고함을 질렀습니다.

"뭐라고? 누가 이 집 주인이라는 거냐? 이 집 주인은 바로 나다!

밖에 누구 없느냐? 어서 이 녀석을 끌어 내라!"

진짜 옹고집은 큰 소리로 하인을 불렀습니다.

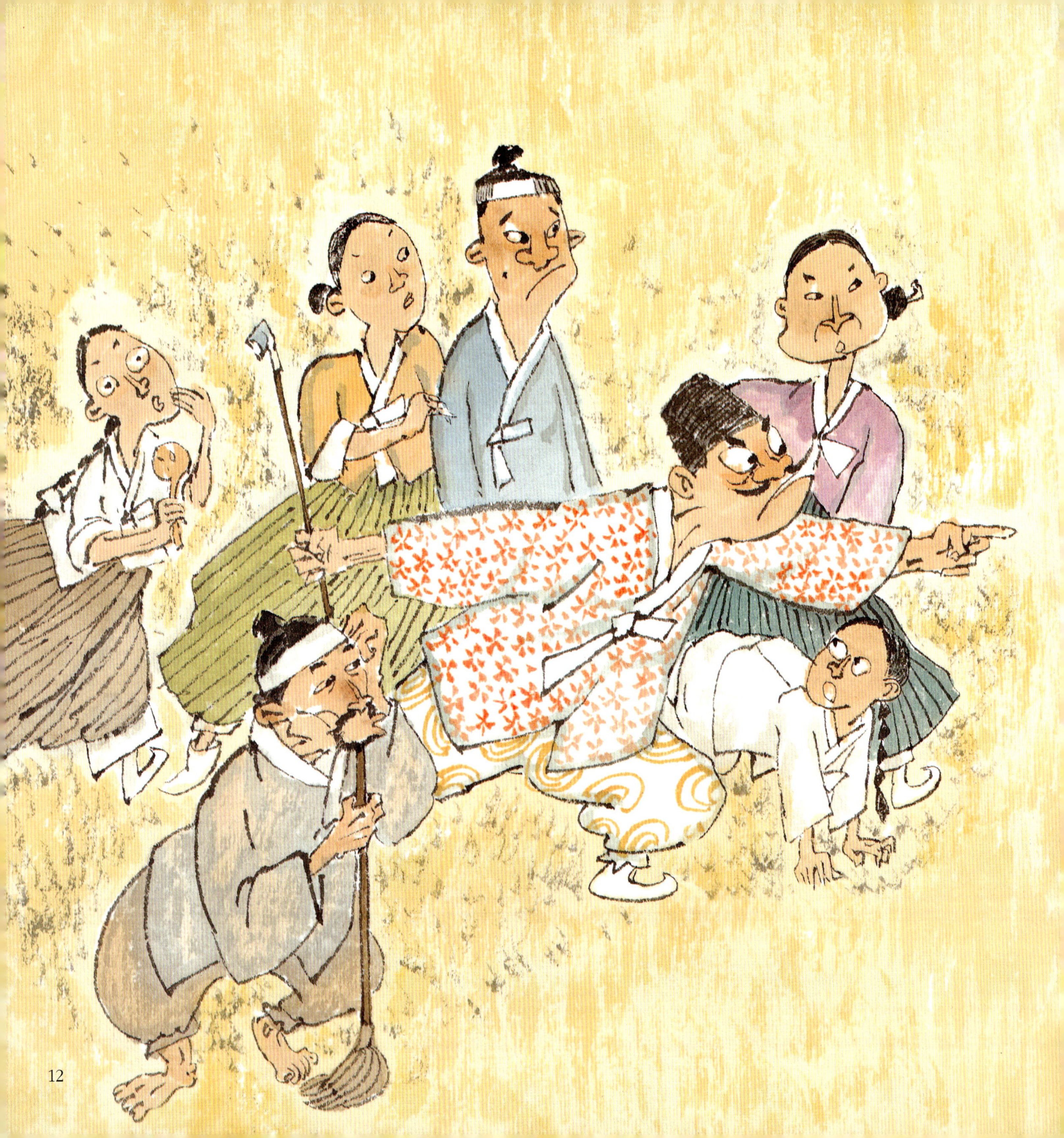

그러나 고함 소리를 듣고 달려온
하인은 두 옹고집을 멍하니 바라볼 뿐이었습니다.
"아이고, 이게 어찌 된 일이지?
쌍둥이처럼 꼭 닮았으니 누가 진짜 주인어른인지 알 수가 있나."
하인이 망설이고만 있자 진짜 옹고집이 더 크게 소리쳤습니다.
"얘들아, 여보 마누라! 모두들 이리 와서 이 가짜 녀석을 쫓아 내 주게!"
옹고집의 아내와 아들, 며느리, 딸, 손자, 손녀 모두가 몰려 나왔습니다.
하지만 아무도 진짜 옹고집과 가짜 옹고집을 구별해 내지 못했습니다.

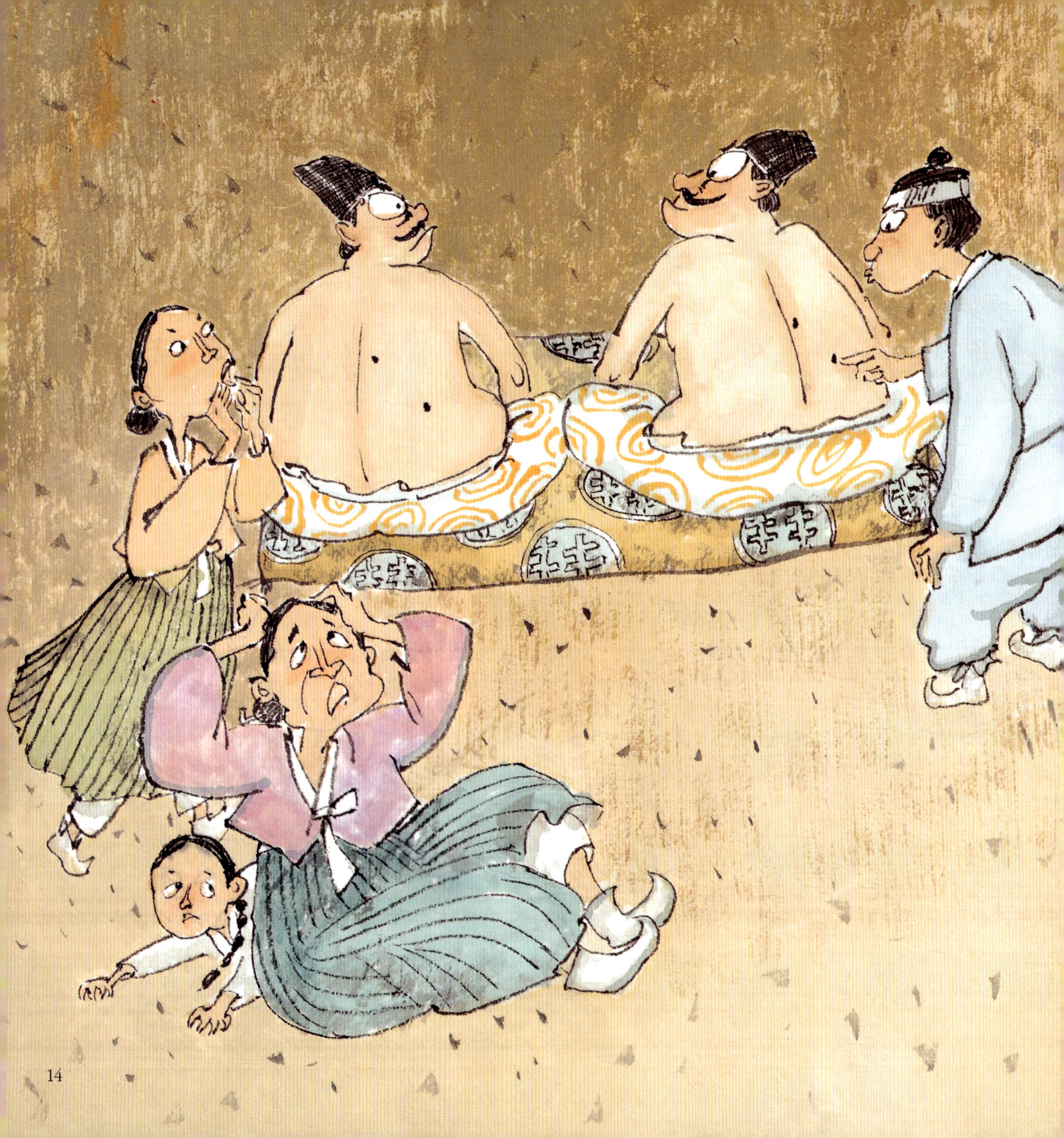

"아이고, 이게 웬일이람. 얼굴도 목소리도 똑같으니,
누가 진짜고 누가 가짜인지 알 수가 없네."
옹고집의 아내는 어쩔 줄 몰라 했습니다.
그러다가 문득 좋은 생각이 떠올랐습니다.
"얘들아! 너희 아버지 등에는 커다란 까만 점이 두 개 있단다."
옹고집의 아내가 아들과 딸에게 말했습니다.
"모두들 내 등의 점을 똑똑히 보아라."
진짜 옹고집이 저고리를 벗으면서 말했습니다.
"내 등에도 있다. 여기……"
가짜 옹고집도 자기의 등을 내보이면서 말했습니다.
진짜 옹고집의 등에도, 가짜 옹고집의 등에도
커다란 까만 점 두 개가 똑같이 있었습니다.
답답해진 옹고집의 아내가 말했습니다.
"도저히 진짜와 가짜를 가려낼 수 없으니 사또께 가 봅시다."

16

가족들은 두 옹고집을 데리고 사또에게 갔습니다.
"제가 진짜 옹고집이고, 저 녀석은 가짜 옹고집입니다."
"아닙니다. 제가 진짜고, 저 녀석이 가짜입니다."
두 옹고집은 사또 앞에서 서로 자기가 진짜라고 우겼습니다.
"둘 다 조용히 하고 내가 묻는 말에 대답해 보시오!"
사또가 엄숙한 목소리로 말했습니다.
"집에 밥그릇이 몇 개 있는지 말해 보시오."
"글쎄요. 아마도 스물네 개 있을 겁니다."
진짜 옹고집이 대답했습니다.
"아닙니다. 오늘 아침에 한 개를 깨뜨려 모두 스물세 개입니다."
가짜 옹고집이 말했습니다.

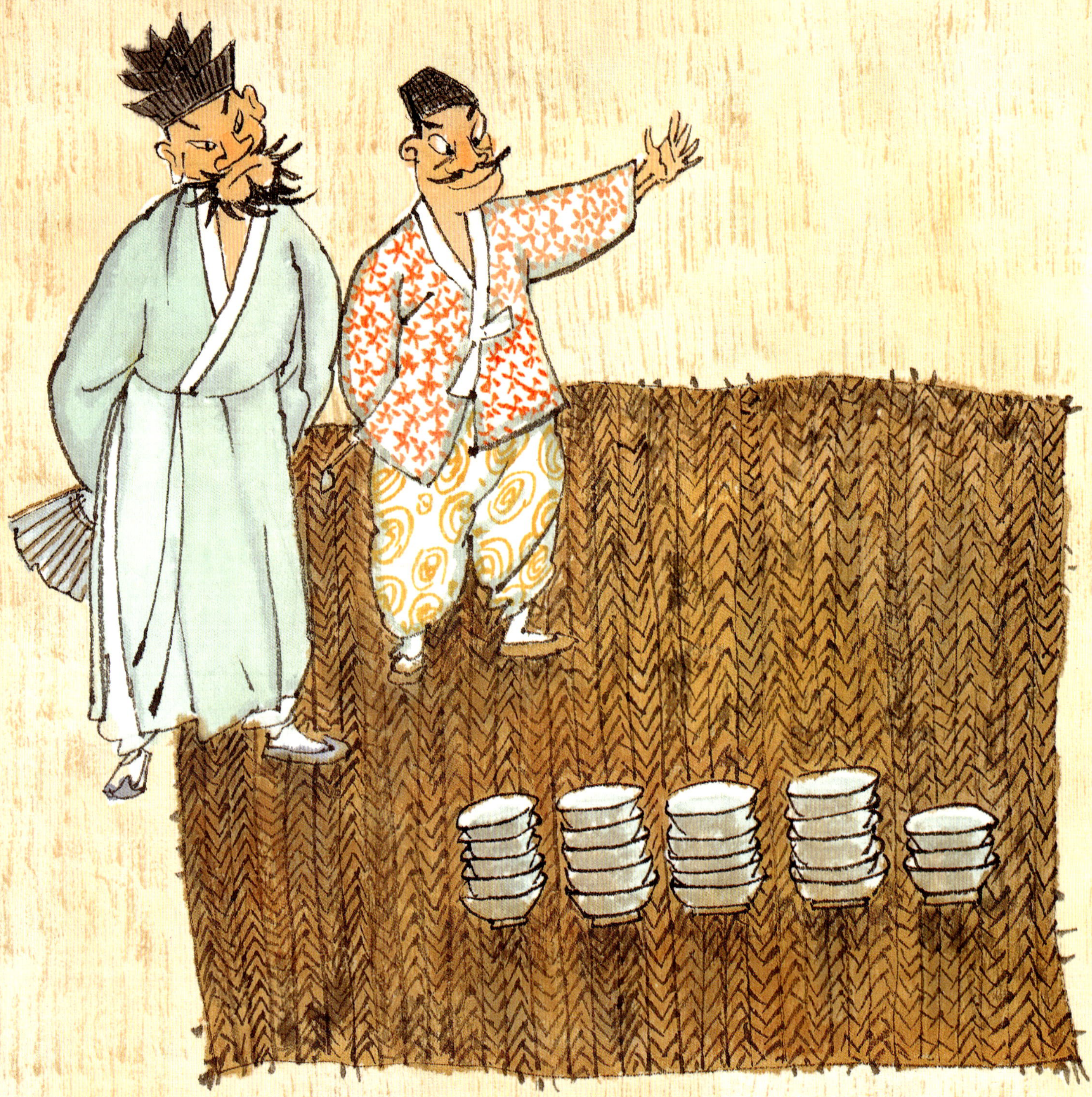

"옹고집네 밥그릇을 모두 가져오너라!"
사또의 명에 따라 이방*이 하인들을 이끌고 가 옹고집네 밥그릇을 모두 가져왔습니다.
"하나, 둘, 셋…… 스물둘, 스물셋. 모두 스물세 개가 맞구나!
여봐라, 저 가짜 옹고집을 멀리 쫓아 내라!"
사또는 진짜 옹고집을 가리키며 소리쳤습니다.
"억울합니다, 사또 나리. 제가 진짜 옹고집입니다."
"어허, 그래도 거짓말이냐! 어서 썩 나가지 못할까!"
쫓겨난 진짜 옹고집은 이집 저집을 다니며 밥을 얻어먹는 거지 신세가 되었습니다.
하지만 워낙 마을 사람들의 인심을 잃은 터라 빌어먹는 것도 쉽지 않았습니다.

*이방 : 지방 관아에서 사또의 일을 도왔던 관리.

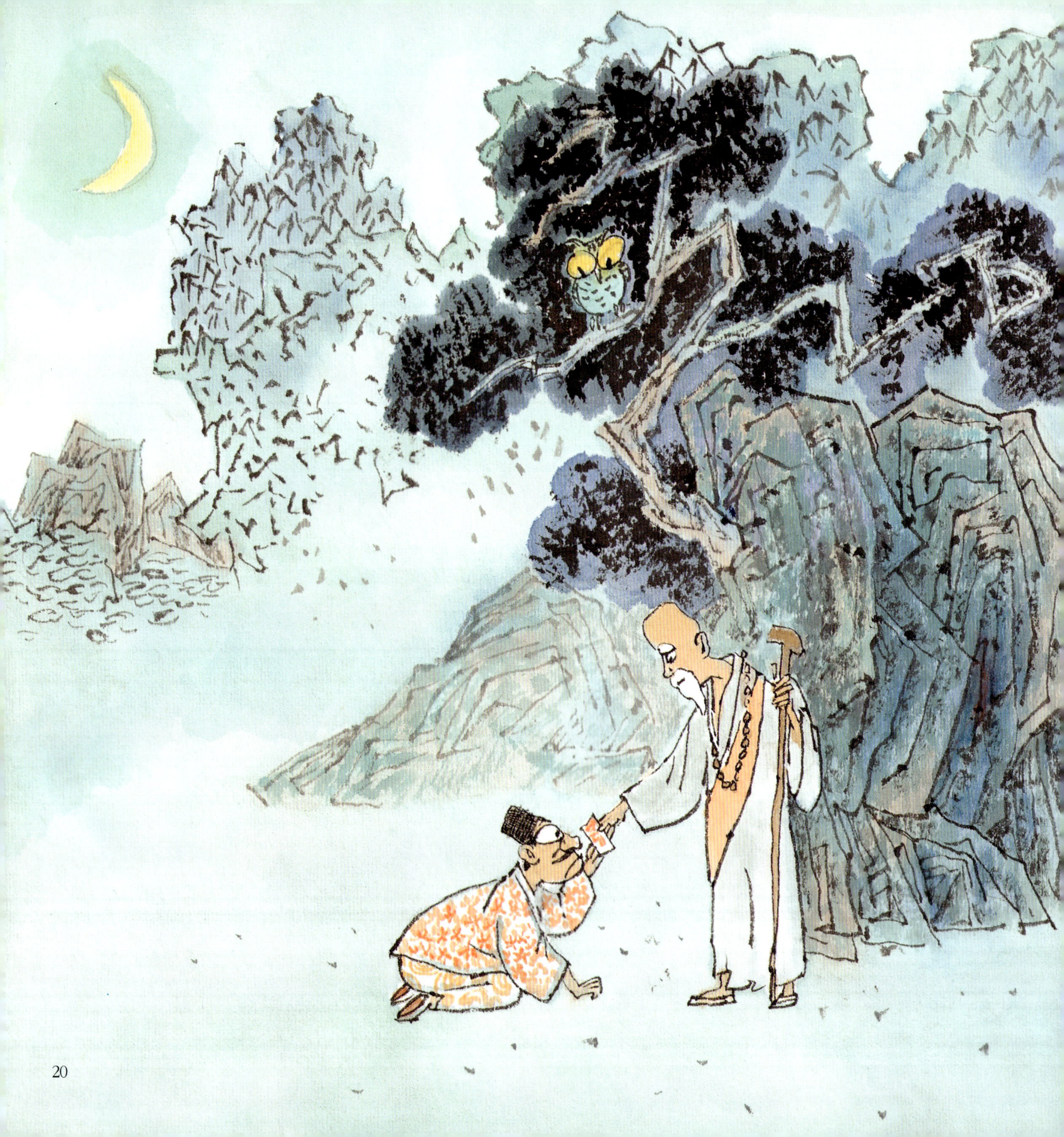

옹고집은 진심으로 지난 날을 뉘우쳤습니다.
"내가 그 동안 다른 사람들을 업신여기고 인정 없이 살아서 벌을 받는구나.
그나저나 오늘 밤은 또 어디에서 지내야 하나?"
옹고집이 산길에 앉아 한숨을 내쉬고 있을 때였습니다.
저 앞에서 낯익은 사람이 옹고집에게 다가오고 있었습니다.
"나무아미타불 관세음보살. 옹고집 어른, 오래간만입니다."
옹고집은 언젠가 자기 집을 찾아왔던 큰스님을 알아보고는
진심으로 잘못을 뉘우치며 용서를 빌었습니다.
"아이고, 큰스님! 지난번에는 제가 잘못했습니다. 용서해 주십시오."
"옹고집 어른, 어서 집에 돌아가서 이 부적*을 마루 기둥에 붙이십시오."
큰스님은 옹고집에게 부적 한 장을 주고 사라졌습니다.
옹고집은 큰스님이 사라진 쪽을 향해 머리를 조아리며 흐느꼈습니다.
"감사합니다. 감사합니다……."

*부적 : 귀신을 쫓기 위해 붉은색으로 복잡한 글자나 모양을 그린 종이.

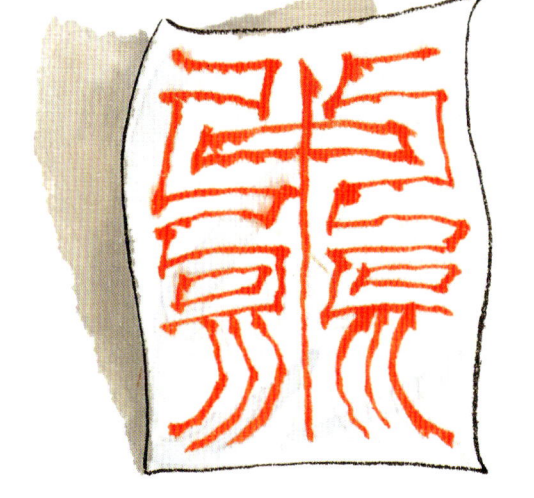

옹고집은 살금살금 집 안으로 들어갔습니다.
그러고는 얼른 마루의 기둥에 부적을 붙였습니다.
그러자 신기하게도 가짜 옹고집의 모습이 점점 연기로 변하는 게 아니겠어요?
"옹고집아! 이제부터는 착하게 살아라."
가짜 옹고집은 이렇게 말하고는 하얀 연기가 되어 하늘로 올라갔습니다.

그 뒤로 진짜 옹고집은 부처님을 공경하고 착한 일을 많이 하여
사람들에게 널리 칭송받았다고 합니다.

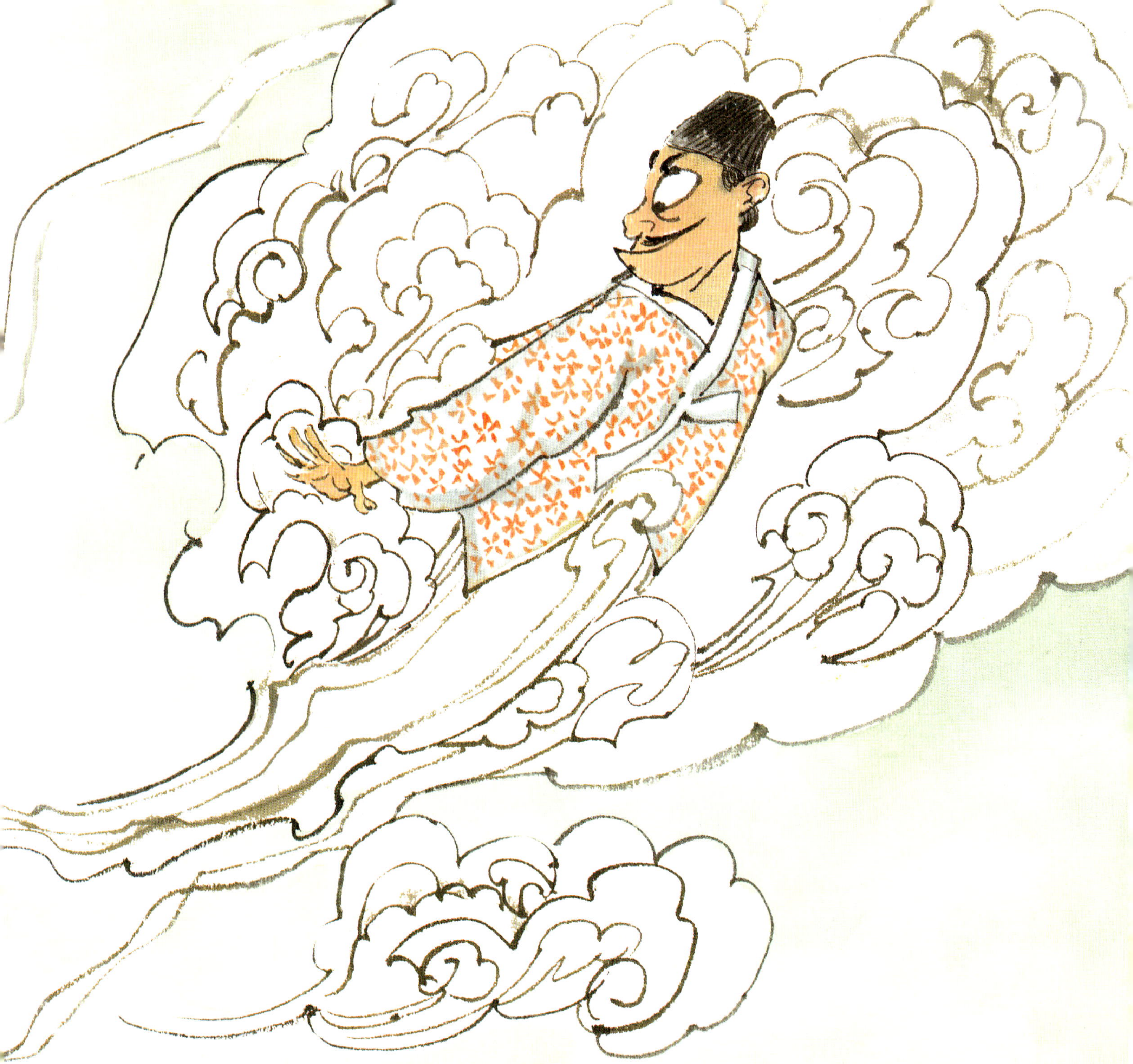

동화의 이해를 위하여

심술쟁이 구두쇠 영감으로 소문난 옹고집의 집에 동자승이 찾아와 시주를 부탁합니다.
그러나 옹고집은 동자승을 마구 때리며 쫓아 내지요.
동자승에게 자초지종을 들은 큰스님이 직접 가 보지만 이번에는 물벼락을 맞고 맙니다.
큰스님은 짚단으로 가짜 옹고집을 만들어 진짜 옹고집 행세를 하게 하고,
가짜 옹고집에게 호되게 혼쭐이 난 진짜 옹고집은 자신의 잘못을 뉘우치고 새 사람이 됩니다.
〈사람이 된 허수아비〉는 불교의 중요한 정신인 '자비'를 재미있고 유쾌하게 전하고 있습니다.
가진 것이 많으면서도 나눌 줄 모르고 인색하기만 했던 옹고집이
결국 자신의 죄를 뉘우치고 큰스님에게 용서를 비는 장면을 보면서
나눔과 자비의 정신이 얼마나 소중한지 느낄 수 있지요.
또한 가짜 옹고집이 진짜 옹고집을 내쫓는 장면에서
우리 조상들의 재치와 지혜를 엿볼 수 있습니다.
진짜 같은 가짜, 즉 분신은 동서양을 막론하고
여러 가지 신화나 이야기 속에 자주 등장하는 소재입니다.
이야기 속의 옹고집 역시 갑자기 등장한 자신의 분신 때문에
가진 것을 모두 잃게 되지요.
사람은 누구나 다른 사람과 어울려 살아갑니다.
더불어 사는 사회 속에서 자신이 가진 것을 주변 사람들에게
베풀 때, 다른 사람은 물론 자신도 행복해질 수 있습니다.